KB178085

프롤로그

글쓰기의 중요성과 이 책의 목적

글쓰기는 인간이 발명한 가장 강력한 도구 중 하나입니다. 우리의 생각, 꿈, 역사, 그리고 지식을 기록하는 수단으로서, 글은 시간과 공간을 초월하여 우리의 목소 리를 전달합니다. 이 책은 글쓰기라는 예술에 대한 여정 을 탐색하는 것을 목표로 합니다. 이 여정은 때로는 도전 적이고, 때로는 해방적이며, 항상 변화하고 발전하는 과 정입니다.

글쓰기의 중요성은

첫째, 글쓰기는 복잡한 생각이나 아이디어를 명확하고 조직적인 방식으로 표현하는 데 도움을 줍니다.

둘째. 효과적인 글쓰기 능력은 다른 사람들과의 소통을 개선하고, 우리의 메시지가 명확하게 전달되도록 합니다.

셋째, 글쓰기는 창의적 사고를 자극하고, 새로운 아이디어를 탐구하며, 상상력을 활용할 수 있는 기회를 제공합니다.

넷째, 글쓰기 과정에서의 반복과 심사숙고는 정보를 더 잘 기억하고 이해하는 데 도움을 줍니다.

이와 같이 우리는 글쓰기를 통해 자신을 발견하고, 세상과 소통 하며 창의적인 표현의 무한한 가능성을 탐구합니다. 이 책에서는 글쓰기의 기초부터 시작하여, 창의적 글쓰기 전략, 글쓰기 기법과 스타일, 창작 과정과 피드백, 그리고 디지털 시대의 글쓰기 및 출판에 이르기 까지 다양한 주 제를 다룹니다. 또한, 시니어와 아동, 청소년을 위한 글쓰기 교육과 같은 특별 주제를 포함하 여, 모든 연령대와 경험 수준의 독자가 자신만의 글쓰기 여정을 시작하고 발전시킬 수 있도록 안내합니다.

이 책의 목적은 이 책은 독자가 글쓰기를 통해 자신 의 생각을 효과적으로 표현하고, 창의적인 아이디어를 발전시키며, 목적에 맞는 글을 작성할 수 있도록 지원하기 위해 만들어졌습니다.

첫째, 문법, 문장 구조, 그리고 스타일과 같은

글쓰기의 기본적인 요소들을 이해하고 적용할 수 있도록 합니다.

둘째, 다양한 글쓰기 전략과 기법을 통해 독자의 상상력과 창의력을 자극합니다.

셋째, 학술적 글쓰기, 비즈니스 커뮤니케이션, 디지털 미디어 등 다양한 상황에서 필요한 글쓰기 방법을 소개합니다.

넷째, 자가 평가 및 동료 평가를 통해 글쓰기 능력을 지속적으로 개선할 수 있는 방법을 제시합니다.

이와 같이 이 책은 글쓰기의 기술적인 측면뿐만 아니 라, 글쓰기가 개인과 사회에 미치는 영향을 탐구합니다. 글쓰기는 단순 한 기록 이상의 것입니다. 그것은 자기 표현의 수단, 지 식의 전달 방법, 그리고 문화와 역사를 보존하는 방식입 니다. 우리는 글쓰기를 통해 공감과 이해를 구축하고, 다리를 놓으며, 변화를 촉진할 수 있습 니다.

이 책을 통해 글쓰기의 힘을 발견하고, 자신의 생각과 이야기를 세상과 공유하는 데 필요한 기술을 갖출 수 있기를 바랍니다.

그린놀크 정영주

글쓰기 마스터 10가지 핵심 전략

1. 독자 중심으로 생각하기 : 글을 쓰기 전에 먼저 독자가 누구인지, 독자의 관심사와 필요가 무엇인지 고려하세요. 독자의 관점에서 글을 쓰면 더 효과적으로 소통할 수 있습니다.

2. 구체적 목표 설정하기 : 글쓰기 전에 명확한 목표를 설정하세요. 독자에게 전달하고 싶은 핵심 메시지나 감정이 무엇인지, 글을 통해 어떤 행동을 유도하고 싶은지 고민해보세요.

3. 간결하게 쓰기 : 복잡하고 긴 문장보다는 간결하고 명확한 표현을 사용하세요. 불필요한 단어나 문장은 독자가 핵심 내용을 이해하는 데 방해가 될 수 있습니다.

4. 강력한 시작 : 독자의 관심을 끌 수 있는 강력한 시작 문장을 작성하세요. 호기심을 자극하거나

감정적으로 연결될 수 있는 훅(Hook)을 사용하는 것이 좋습니다.

5. 구조화된 내용 전개 : 글의 구조를 명확하게 하세 요. 서론, 본론, 결론의 기본 구조를 따르면서 각 부분이 자연스럽게 연결되도록 합니다. 논리적이고 체계적인 전개는 독자의 이해를 돕습니다.

6. 스토리텔링 활용 : 데이터나 사실만 나열하기보다는 스토리텔링을 통해 정보를 전달하세요. 이야기는 독자가 정보를 쉽게 이해하고 기억하는 데 도움이 됩니다.

7. 시각적 요소 활용 : 가능하다면 이미지, 도표, 인포그래픽 등 시각적 요소를 통해 글의 내용을 보충하세요. 시각적 정보는 텍스트만으로는 전달하기 어려운 부분을 효과적으로 전달할 수 있습니다.

8. 피드백과 수정 : 첫 번째 초안을 완성한 후에는

반드시 수정과정을 거치세요. 자신의 글을 비판적으로 읽어보고, 가능하다면 다른 사람의 피드백을 받아 보세요.

9. 독서와 연구 : 다양한 책을 읽고 연구하세요. 다른 저자들이 어떻게 아이디어를 전달하고 글을 구성하는지 학습함으로써 자신만의 글쓰기 스타일을 발전시킬 수 있습니다.

10. 지속적인 연습 : 글쓰기는 연습을 통해 발전합니다. 정기적으로 글을 쓰는 습관을 들이세요. 다양한 주제와 스타일로 글쓰기를 시도해 보는 것이 좋습니다.

CONTENT

제1장 글쓰기의 기초

1. 글쓰기의 첫걸음

글쓰기는 생각을 표현하고, 의사소통하는 데 있어 매우 중요한 역할을 합니다. 그러나 많은 이들이 처음에는 글쓰기를 어렵고 부담스러운 과제로 여기곤 합니다. 이러한 느낌은 대부분 글쓰기에 대한 오해와 잘못된 접근 방식에서 비롯됩니다. 본 장에서는 글쓰기를 시작하는 데 있어 기초가 되는 사항들을 소개하고, 효과적으로 글을 작성하는 방법에 대해 탐구하고자 합니다.

글쓰기 과정은 크게 세 가지 단계로 나눌 수 있습니다. 준비, 작성, 그리고 수정입니다. 이 세 가지 단계는 글쓰기의 성공을 위한 핵심적인 과정으로, 각 단계는 서로 밀접하게 연결되어 있습니다.

첫째, 준비 단계에서는 글쓰기의 목적과 대상 독자를 명확히 정의하는 것이 중요합니다. 글의 목적이 무엇인지, 누구를 대상으로 하는지를 명확히 하면, 글쓰기의 방향성이 설정되고, 필요한 정보를 수집하고 조직하는 데 도움이 됩니다.

둘째, 작성 단계에서는 실제로 글을 쓰기 시작합니다. 이 단계에서는 초기 아이디어를 바탕으로 문장을 구성하고, 아이디어를 논리적으로 전개해 나가야 합니다. 글쓰기의 첫 문장은 매우 중요한데, 이는 독자의 관심을 끌고 글의 톤을 설정하는 역할을 합니다.

마지막으로, 수정 단계는 글쓰기 과정의 마무리를 의미합니다. 첫 번째 초안을 작성한 후에는 내용을 점검하고, 문장을 다듬으며, 맞춤법이나 문법 오류를 수정해야 합니다. 이 단계는 글의 품질을 높이는 데 매우 중요하며, 때로는 여러 번의 수정을 거쳐야 할 수도 있습니다.

글쓰기의 기초를 다지는 것은 글쓰기 능력을 발전시키는 첫걸음입니다. 이러한 기본적인 원칙을 이해하고 적용함으로써, 독자는 자신의 생각과 정보를 효과적으로 전달할 수 있는 글을 작성할 수 있게 될 것입니다.

2. 글쓰기 목적 이해하기

글쓰기의 목적을 이해하는 것은 효과적인 글을 작성하는 데 있어 필수적인 첫걸음입니다. 명확한 목적 없이 글을 쓰기 시작하는 것은 목적지 없이 여행을 떠나는 것과 유사합니다. 여러분은 어떤 방향으로 나아가야 할지 결정하기 어려울 것입니다. 글쓰기 목적은 독자와의 소통, 정보 전달, 설득, 또는 창의적 표현 등 다양할 수 있습니다. 각각의 목적에 따라 글쓰기의 접근 방식과 스타일이 달라지게 됩니다.

가장 흔한 글쓰기 목적 중 하나는 정보를 전달하는 것입니다. 이러한 글에서는 특정 주제에 대한 사실, 데이터, 그리고 분석을 제공하여 독자가 주제에 대해 이해할 수 있도록 합니다. 정보 전달 글쓰기는 명료하고 간결한 언어를 사용하여 독자가 쉽게 정보를 소화할 수 있도록 하는 것이 중요합니다.

• 소통 : 글쓰기는 개인적인 경험, 생각, 느낌을 타인과 공유하는 수단으로도 사용됩니다. 이러한 유형의

글쓰기에서는 감정적인 어조나 서술적인 언어를 사용하여 독자와의 감정적 연결을 시도할 수 있습니다.

• 설득 : 글쓰기를 통해 독자의 의견이나 행동을 변화시키고자 하는 목적으로 쓰일 때, 이를 설득 글쓰기라고 합니다. 이 경우, 논리적인 주장, 증거 및 설득력 있는 언어를 사용하여 독자를 설득해야 합니다. 설득 글쓰기는 철저한 연구와 명확한 논리 구조가 필요합니다.

• 창의적 표현 : 또한 글쓰기는 개인의 창의력을 표현하는 수단으로 사용될 수 있습니다. 시, 단편 소설, 연극 등은 모두 개인의 상상력을 탐색하고, 독특한 이야기를 만들어내며, 감정을 효과적으로 전달하는 방법입니다.

각 글쓰기 목적에 맞는 접근 방식을 이해하고 적용함으로써, 여러분은 독자와 보다 효과적으로 소통할 수 있습니다. 목적에 맞는 글쓰기 기법을 사용하면, 여러분의 메시지가 독자에게 명확하게 전달되어 그

목적을 성공적으로 달성할 수 있을 것입니다.

3. 대상 독자 파악하기

글쓰기 과정에서 대상 독자를 명확히 파악하는 것은 글의 내용, 언어 선택, 그리고 전달 방식을 결정하는 데 있어 핵심적인 요소입니다. 대상 독자는 글을 쓰는 목적과 밀접한 관련이 있으며, 특정 주제나 메시지가 그들에게 어떻게 다가갈지를 이해하는 것이 중요합니다. 대상 독자를 파악함으로써, 작가는 독자의 관심사, 기대, 그리고 필요에 부합하는 내용을 제공할 수 있게 됩니다.

독자의 특성 파악하기

대상 독자의 나이, 성별, 교육 수준, 직업, 관심사 등과 같은 특성을 고려하는 것은 글쓰기 전략을 수립하는 데 있어 중요한 첫걸음입니다. 예를 들어, 전문가를 대상으로 한 글에서는 전문 용어와 복잡한 개념을 사용할 수 있지만, 일반 대중을 대상으로 한 글에서는 보다 쉽고 이해하기 쉬운 언어를 사용해야 합니다.

독자의 요구와 기대 이해하기

대상 독자가 글에서 얻고자 하는 것이 무엇인지 파악하는 것도 중요합니다. 정보를 찾고 있는가, 새로운 관점을 원하는가, 아니면 단순히 오락을 추구하는가? 독자의 요구와 기대를 충족시키기 위해, 글의 내용과 구조를 그에 맞게 조정해야 합니다.

독자와의 소통 방식 결정하기

대상 독자에 따라 글의 톤과 스타일도 달라집니다. 어린이를 대상으로 한 글에서는 친근하고 재미있는 톤을 사용할 수 있으나, 학술적인 논문에서는 정중하고 객관적인 톤이 요구됩니다. 독자와의 적절한 소통을 위해서는, 그들이 익숙하고 편안하게 느끼는 언어와 스타일을 선택하는 것이 중요합니다.

피드백을 통한 독자 이해 깊이화하기

대상 독자에 대한 초기 이해를 바탕으로 글을 작성한 후, 독자로부터의 피드백을 통해 그들의 반응과 필요를 더 깊이 이해할 수 있습니다. 이러한 피드백은 향후 글쓰기에서 독자와의 소통을 개선하는 데 도움이 됩니다.

결국, 대상 독자를 정확히 파악하고 이해하는 것은 글쓰기의 성공을 위해 필수적입니다. 독자의 관점에서 글을 바라보고, 그들의 요구와 기대에 부응하는 내용을 제공함으로써, 글쓰기는 더욱 효과적인 소통 수단이 될 것입니다.

4. 효과적인 글쓰기 환경 조성하기

글쓰기는 집중력과 창의력이 요구되는 활동입니다. 따라서, 효과적인 글쓰기를 위해서는 적절한 환경을 조성하는 것이 중요합니다. 이는 글쓰기 과정에서 발생할 수 있는 방해 요소를 최소화하고, 작가가 생각을 자유롭게 펼칠 수 있는 공간을 마련하는 데 도움이 됩니다. 다음은 효과적인 글쓰기 환경을 조성하기 위한 몇 가지 조언입니다.

조용한 작업 공간 확보

글쓰기를 위한 공간은 조용하고 집중하기 좋은 환경이어야 합니다. 주변의 소음이나 방해가 최소한인 장소를 선택하여, 글쓰기에 필요한 집중력을 유지할 수 있도록 합니다. 가능하다면, 개인 작업실이나 도서관 등 조용한 공간에서 작업하는 것이 이상적입니다.

적절한 조명과 편안한 좌석

눈의 피로를 줄이고, 장시간 작업할 수 있도록 적절한 조명을 마련하는 것이 중요합니다. 자연광이 가장 이상적이지만, 가능하지 않은 경우 눈부심이 없는 조명을 사용하세요. 또한, 편안한 좌석은 글쓰기 과정에서의 신체적 피로를 줄이는 데 도움이 됩니다.

작업에 필요한 도구 준비

노트북, 필기 도구, 참고 자료 등 글쓰기에 필요한 모든 도구를 미리 준비하세요. 작업 공간 주변에 필요한 모든 자료와 도구를 배치하여, 작업 중 필요한 물품을 찾느라 시간을 낭비하지 않도록 합니다.

디지털 방해 요소 제한

소셜 미디어, 이메일, 메시징 애플리케이션 등은 글쓰기 중에 큰 방해 요소가 될 수 있습니다. 작업 중에는 이러한 디지털 방해 요소를 최대한 제한하고, 필요한 경우 작업용 컴퓨터나 애플리케이션의 사용을 고려해보세요.

개인화된 요소 추가

작업 공간에 개인의 선호나 취향을 반영하는 소소한 변화를 주는 것도 좋은 방법입니다. 예를 들어, 좋아하는 식물을 두거나, 영감을 주는 인용구나 이미지를 배치하는 것이 창의력을 자극할 수 있습니다.

효과적인 글쓰기 환경은 개인의 선호와 작업 스타

일에 따라 달라질 수 있습니다. 따라서, 자신에게 가장 적합한 환경을 실험하고 찾아가는 과정도 글쓰기의 중요한 부분입니다. 이상적인 작업 환경을 조성함으로써, 글쓰기의 생산성과 창의력을 극대화할 수 있을 것입니다.

제2장 창의적 글쓰기 전략

1. 아이디어 찾기와 브레인스토밍

창의적 글쓰기 과정의 시작점은 대부분 새로운 아이디어를 찾는 것에서 비롯됩니다. 아이디어 찾기는 글쓰기의 방향성을 결정짓고, 글의 주제와 내용을 구성하는 데 필수적인 단계입니다. 이 과정에서 브레인스토밍은 생각을 자유롭게 탐색하고, 다양한 아이디어를 발산하는 효과적인 기법 중 하나로 손꼽힙니다.

아이디어 찾기

아이디어 찾기는 일상에서 시작할 수 있습니다. 주변 환경, 사람들과의 대화, 책이나 영화에서 얻은 영감 등이 글쓰기 아이디어로 활용될 수 있습니다. 또한, 개인의 경험, 꿈, 또는 상상에서 비롯된 생각들도 훌륭한 글의 소재가 될 수 있습니다. 아이디어 찾기 과정에서는 비판적 사고를 잠시 접어두고, 가능한 모든 생각을 열린 마음으로 받아들이는 것이 중요합니다.

브레인스토밍

브레인스토밍은 아이디어 찾기 과정을 체계화하고, 창의적 생각을 촉진하는 데 도움을 주는 기법입니다. 이 과정은 혼자서 혹은 그룹과 함께 진행할 수 있으며, 몇 가지 주요 원칙을 따릅니다.

• 자유로운 발상 : 어떤 아이디어도 비판받지 않는 환경을 조성하여, 참여자가 생각을 자유롭게 표현할 수 있도록 합니다.

• 양보다 질 : 가능한 많은 아이디어를 도출하는 것이 목표입니다. 아이디어의 질보다는 양을 우선시하며, 이후 선별 과정을 통해 가장 유용하고 창의적인 아이디어를 선택할 수 있습니다.

• 연상 게임 : 특정 단어나 개념에서 출발하여 연관된 다른 아이디어로 확장하는 방식으로 생각의 범

위를 넓힙니다.

• 시각화 : 마인드맵이나 그림 등 시각적 도구를 사용하여 아이디어를 구조화하고, 생각의 흐름을 명확히 할 수 있습니다.

브레인스토밍 세션 후에는 도출된 아이디어를 검토하고, 글쓰기에 적합한 주제를 선정합니다. 이 과정에서 아이디어 간의 연결점을 찾고, 복잡한 아이디어를 단순화하여 글쓰기의 방향을 정립할 수 있습니다.

아이디어 찾기와 브레인스토밍은 창의적 글쓰기의 출발점입니다. 이 단계를 통해 얻은 아이디어는 글쓰기 과정 전반에 걸쳐 독창적이고 풍부한 내용을 제공하는 기반이 됩니다.

2. 마인드맵을 이용한 아이디어 구조화

마인드맵은 아이디어와 생각을 시각적으로 구조화하

는 데 유용한 도구입니다. 복잡한 아이디어를 명확하게 파악하고, 주제 간의 관계를 쉽게 이해할 수 있도록 돕습니다. 이 기법은 창의적 글쓰기 과정에서 특히 효과적이며, 브레인스토밍을 통해 발산된 아이디어를 조직화하고, 글쓰기의 구조를 계획하는 데 도움을 줍니다.

마인드맵 작성 방법

1) 중심 아이디어 설정

마인드맵의 중앙에 글쓰기의 주제나 중심 아이디어를 배치합니다. 이는 글쓰기의 핵심적인 출발점이 됩니다.

2) 주요 분야 확장

중심 아이디어로부터 연결선을 그어 주요 분야나 하위 주제를 나열합니다. 이는 중심 아이디어와 직접적으로 관련된 주요 개념이나 카테고리를 나타냅니다.

3) 세부 아이디어 추가

각 주요 분야로부터 더 작은 선을 그어보며, 세부 아이디어나 관련된 사례, 예시를 추가합니다. 이 과정을 통해 주제의 다양한 측면을 구체적으로 탐색할 수 있습니다.

4) 연결과 관계 표시

마인드맵 내의 아이디어 간의 관계를 화살표나 색깔을 사용하여 표시합니다. 이는 주제 간의 연결점을 명확히 하고, 글의 흐름을 계획하는 데 유용합니다.

5) 시각적 요소 활용

색상, 심볼, 이미지를 사용하여 마인드맵을 개인화하고, 아이디어를 더욱 명확하게 표현합니다. 시각적 요소는 기억력을 향상시키고, 창의적인 사고를 자극하는 데 도움이 됩니다.

마인드맵의 장점

- 아이디어의 전체적인 구조 파악

마인드맵을 통해 글쓰기 주제의 전체적인 구조를

한눈에 볼 수 있습니다. 이는 글의 구성을 계획하고, 주제 간의 관계를 이해하는 데 중요합니다.

- 창의력 촉진 : 마인드맵은 아이디어를 자유롭게 탐색하고 연결하는 과정을 통해 창의적인 사고를 촉진합니다.
- 정보 조직화 : 복잡한 정보와 아이디어를 효과적으로 조직하고, 중요한 내용을 강조할 수 있습니다.

마인드맵을 이용한 아이디어 구조화는 글쓰기 전략을 수립하는 데 있어 필수적인 단계입니다. 이 기법은 글의 방향성을 명확히 하고, 글쓰기 과정을 체계적으로 진행할 수 있는 기반을 마련합니다.

3. 일상에서 영감 찾기

일상 생활은 창의적 글쓰기의 무한한 영감의 원천입니다. 우리가 겪는 일상적인 경험, 관찰, 그리고 생각들은 때때로 예상치 못한 창의적 아이디어로 이어

질 수 있습니다. 글쓰기를 위한 영감을 일상에서 찾는 것은 작가로 하여금 보다 현실적이고 공감가는 작품을 창조하도록 돕습니다. 다음은 일상에서 영감을 찾는 데 도움이 되는 몇 가지 방법입니다.

주변 환경 관찰하기

• 일상적인 환경에서 벗어나 주변을 새로운 시각으로 관찰해보세요. 사람들의 상호작용, 자연의 변화, 도시의 소음과 정적 같은 것들에서 이야기의 소재를 찾을 수 있습니다.

• 특히, 사람들의 대화나 행동에서 다양한 캐릭터와 상황을 발견할 수 있으며, 이는 글쓰기에 풍부한 재료를 제공합니다.

개인적 경험에서 영감 얻기

• 자신의 경험, 감정, 추억은 글쓰기에 있어 강력한 영감의 원천이 될 수 있습니다. 자신이 겪은 도전, 성공, 실패 등은 공감가는 이야기를 만드는 데 있어 중요한 요소입니다.

• 또한, 개인적인 경험을 통해 얻은 교훈이나 통찰은 글에 깊이와 의미를 더할 수 있습니다.

일상적인 소재를 창의적으로 재해석하기

• 평범해 보이는 일상적인 소재들도 창의적인 시각으로 바라보면 새로운 이야기로 탄생할 수 있습니다. 예를 들어, 한 잔의 커피, 거리의 풍경, 일상 속 물건 등이 특별한 이야기의 출발점이 될 수 있습니다.

• 일상의 소재를 통해 독자가 공감할 수 있는 세부사항을 제공하고, 보편적인 경험 속에서 독특한 이야기를 창조해보세요.

미디어와 문화에서 영감 얻기

• 책, 영화, 음악, 미술 등 다양한 형태의 미디어와 문화적 산물에서 영감을 얻을 수 있습니다. 다른 창작물을 통해 새로운 관점을 얻거나, 특정 장르나 스타일에 대한 이해를 넓힐 수 있습니다.

• 이러한 산물들은 특정 주제나 문제에 대한 다양

한 해석을 제공하며, 이는 글쓰기의 소재로 활용될 수 있습니다.

일상에서 영감을 찾는 것은 글쓰기 과정을 더욱 풍부하고 다채롭게 만듭니다. 작가로서의 관찰력과 상상력을 발휘하여, 일상 속에서 발견한 소재와 경험을 창의적인 글쓰기로 전환해보세요. 이 과정에서 글쓰기는 단순한 작업이 아닌, 삶을 이해하고 표현하는 예술적인 여정이 될 것입니다.

제3장 글쓰기 기법과 스타일

1. 강력한 서론과 결론 작성하기

글쓰기에서 서론과 결론은 글의 첫인상과 마지막 인상을 결정짓는 중요한 부분입니다. 효과적인 서론은 독자의 관심을 끌고 글의 주제에 대한 기대를 형성하는 반면, 결론은 글의 주요 메시지를 강조하고, 독자에게 지속적인 인상을 남깁니다. 다음은 강력한 서론과 결론을 작성하는 데 도움이 되는 몇 가지 기법입니다.

강력한 서론 작성하기

• 훅(Hook) 사용하기 : 서론의 시작 부분에는 독자의 관심을 즉각적으로 끌 수 있는 흥미로운 사실, 질문, 인용구 또는 이야기를 포함시키세요. 이러한 훅은 독자로 하여금 글을 계속 읽고자 하는 호기심을 자극합니다.

• 주제 소개 : 서론에서는 글의 주제와 주요 논점을 명확하게 소개해야 합니다. 이는 독자가 글의 방향성을 이해하는 데 도움을 주며, 글의 구조에 대한 기대를 형성시킵니다.

• 목적 밝히기 : 글쓰기의 목적을 서론에서 명확히 밝히는 것이 중요합니다. 이는 독자가 글을 읽는 동안 어떤 정보나 통찰을 얻을 수 있을지에 대한 힌트를 제공합니다.

강력한 결론 작성하기

• 주요 논점 재강조 : 결론에서는 글의 주요 논점을 간략하게 요약하고 재강조해야 합니다. 이는 글의 메시지를 명확히 하고, 독자의 기억에 강한 인상을 남깁니다.

• 독자에게 영향 미치기

결론은 독자에게 글의 내용을 실생활에 적용할 수 있는 방법을 제시하거나, 생각할 거리를 던져줌으로써 더 큰 영향력을 발휘할 수 있습니다.

• 감성적 연결 만들기

결론은 감성적인 요소를 포함하여 독자와의 연결을 강화할 수 있습니다. 이는 글의 메시지를 보다 깊이 있고 의미 있는 방식으로 전달하는 데 도움이 됩니다.

서론과 결론은 글쓰기의 중요한 구성 요소로, 각각 글을 시작하고 마무리하는 역할을 합니다. 효과적인 서론과 결론은 글의 전체적인 흐름을 강화하고, 독자에게 긍정적인 인상을 남기는 데 중요한 역할을 합니다. 따라서, 각 부분에 충분한 시간과 노력을 할애하여, 글의 질을 향상시키는 것이 중요합니다.

2. 이야기 구조와 플롯 개발

이야기 구조와 플롯 개발은 글쓰기에서 이야기를 전달하는 방식을 결정짓는 핵심 요소입니다. 효과적인 이야기 구조는 독자의 관심을 유지하고, 메시지를 명확하게 전달하는 데 중요한 역할을 합니다. 플롯은 이야기의 뼈대를 형성하며, 사건들이 전개되는 순서와 방식을 결정합니다. 다음은 이야기 구조와 플롯을 개발하는 데 도움이 되는 기법입니다.

이야기 구조의 기본 요소

• 서론(Exposition) : 이야기의 배경, 등장인물, 그리고 주요 사건의 설정을 소개합니다. 이 단계에서는 이야기의 세계를 구축하고, 독자가 이야기 속으로 들어올 수 있도록 안내합니다.

• 상승하는 행동(Rising Action) : 주요 사건으로 이어지는 사건들과 충돌이 발생합니다. 이 단계는 긴장감을 조성하고, 독자의 흥미를 끌어올리는 데 중요합니다.

• 절정(Climax) : 이야기의 가장 긴장감 있는 순간

으로, 주요 충돌이 해결되는 지점입니다. 절정은 이야기의 전환점 역할을 하며, 독자에게 강한 인상을 남깁니다.

• 하강하는 행동(Falling Action) : 절정 이후 사건들이 해결되기 시작하는 단계입니다. 이 부분에서는 이야기의 여러 스레드와 충돌이 마무리되며, 평화로운 상태로의 전환을 준비합니다.

• 결말(Resolution) : 이야기의 모든 주요 충돌과 문제가 해결되는 부분입니다. 결말은 이야기를 마무리짓고, 독자에게 만족감을 제공합니다.

플롯 개발 전략

• 사건의 인과관계 설정

플롯을 개발할 때는 사건들 사이의 인과관계를 명확히 설정하는 것이 중요합니다. 각 사건이 다음 사건으로 자연스럽게 이어지도록 하여, 이야기의 일관성과 신빙성을 유지합니다.

• 충돌과 긴장감 생성

이야기에서 충돌은 긴장감을 생성하고, 독자의 관심을 유지하는 데 중요한 요소입니다. 인물 간의 충돌, 내적 갈등, 또는 외부적인 도전 등 다양한 충돌을 통해 이야기에 깊이를 더합니다.

• 플롯 트위스트와 반전 활용

예상치 못한 반전이나 플롯 트위스트는 이야기에 흥미로운 요소를 추가하고, 독자의 예상을 뛰어넘는 경험을 제공합니다.

• 절정에 대한 구축

이야기의 모든 요소가 절정으로 향하도록 구성하여, 이야기의 강력한 절정을 준비합니다. 절정은 이야기의 감정적, 사건적 고조점이 되어야 합니다.

이야기 구조와 플롯 개발은 글쓰기에서 이야기를 효과적으로 전달하는 기초를 마련합니다. 체계적인 구조와 잘 개발된 플롯을 통해, 작가는 독자를 사로잡는 강력한 이야기를 창조할 수 있습니다.

3. 다양한 문체와 장르 실험하기

글쓰기의 세계는 다양한 문체와 장르로 가득 차 있으며, 각각은 독특한 방식으로 이야기를 전달합니다. 문체와 장르를 실험하는 것은 작가로 하여금 다양한 표현 방법을 탐색하고, 자신만의 글쓰기 스타일을 발전시키는 데 도움을 줍니다. 다양한 문체와 장르를 실험함으로써, 작가는 자신의 창작 능력을 확장하고, 다양한 독자층에게 어필할 수 있는 작품을 만들 수 있습니다.

문체의 탐색

• 서술적 문체

사실이나 정보를 전달하는 데 중점을 두며, 명료하고 간결한 표현을 사용합니다. 기사, 보고서, 학술 논문 등에서 자주 사용됩니다.

- 서사적 문체

이야기를 전달하는 데 초점을 맞추며, 등장인물, 사건, 대화 등을 포함하여 이야기를 구성합니다. 소설이나 단편, 영화 대본 등에서 사용됩니다.

- 설득적 문체

독자를 설득하기 위해 논리적 주장과 근거를 제시합니다. 논설문, 광고, 설득적 에세이 등에서 활용됩니다.

- 기술적 문체

전문적인 지식이나 기술을 전달하는 데 사용되며, 정확성과 명확성이 중요합니다. 사용자 매뉴얼, 과학기술 글 등에서 볼 수 있습니다.

장르의 실험

• 소설

다양한 서브 장르(판타지, 과학 소설, 미스터리 등)를 탐색하며, 복잡한 인물과 플롯을 통해 이야기를 구성합니다.

• 시

감정, 이미지, 소리를 중시하는 짧고 강렬한 문학 형태로, 언어의 리듬과 음악성을 실험할 수 있습니다.

• 희곡

대화와 행동을 중심으로 구성되며, 연극이나 영화, 라디오 드라마 등의 형태로 전달됩니다.

• 에세이

개인적인 견해나 생각을 표현하는 데 중점을 둔 글로, 다양한 주제와 스타일로 실험할 수 있습니다.

문체와 장르를 실험하는 과정에서, 작가는 자신의 글쓰기에 새로운 시각과 창의력을 불어넣을 수 있습니다. 다양한 방식으로 이야기를 전달하고, 자신의 목소리를 다듬어 나가는 것은 글쓰기의 흥미로운 여정의 일부입니다. 이러한 실험을 통해 작가는 자신만의 독특한 글쓰기 스타일을 발견하고, 더 넓은 독자층과 소통할 수 있는 기회를 얻게 됩니다.

4. 설득력 있는 글쓰기

설득력 있는 글쓰기는 독자의 의견, 태도, 또는 행동을 변화시키기 위해 논리적인 주장과 근거를 제시하는 글쓰기 방식입니다. 이는 독자를 설득하기 위해 탄탄한 논리 구조, 신뢰할 수 있는 근거, 그리고 설득력 있는 언어 사용이 필요합니다. 설득력 있는 글쓰기의 핵심은 독자와의 신뢰 구축, 논점의 명확성, 그리고 효과적인 근거 제시에 있습니다.

탄탄한 논리 구조 확립하기

• 주장 명확히 하기

글의 시작부터 주장을 명확하고 간결하게 제시하여, 독자가 글의 목적을 이해할 수 있도록 합니다.

• 논리적 전개

주장을 뒷받침하는 근거와 예시를 제시하며, 이를 논리적으로 전개하여 독자가 주장을 따라갈 수 있도록 합니다.

• 반대 의견 고려하기

반대 의견을 인정하고 반박함으로써 글의 신뢰도를 높이고, 다각도에서 주제를 탐구하는 모습을 보여줍니다.

신뢰할 수 있는 근거 제시

• 객관적인 데이터와 사실 사용

연구 결과, 통계 데이터, 전문가 의견 등 신뢰할 수 있는 출처에서 얻은 정보를 근거로 사용합니다.

•관련 예시와 사례 인용

주장을 구체적으로 뒷받침할 수 있는 실제 사례나 예시를 제시하여, 근거의 설득력을 강화합니다.

설득력 있는 언어와 표현 사용

• 감정적 호소

합리적 근거와 더불어 독자의 감정에 호소하는 언어를 적절히 사용하여, 메시지에 대한 동의와 공감을 유도합니다.

• 명확하고 강조된 언어

주요 논점을 강조하고, 명확한 언어를 사용하여 독자의 이해를 돕습니다.

• 적절한 톤과 스타일

글의 목적과 독자층에 맞는 톤과 스타일을 선택하여, 메시지가 독자에게 적절히 전달되도록 합니다.

설득력 있는 글쓰기는 단순히 독자를 설득하는 것

을 넘어, 독자와의 심도 있는 대화를 추구하고, 다양한 관점을 고려하며, 깊이 있는 이해와 공감을 이끌어내는 과정입니다. 이를 통해 작가는 사회적, 문화적, 개인적 문제에 대한 통찰과 해결책을 모색하는 데 기여할 수 있습니다.

제4장 언어와 문법의 미학

1. 언어의 선택과 사용

언어는 작가가 독자와 소통하는 주된 수단입니다. 따라서, 언어의 선택과 사용은 글쓰기에서 중요한 역할을 합니다. 효과적인 언어 사용은 글의 명료성, 감동력, 그리고 설득력을 높이는 데 기여하며, 작품에 생명을 불어넣습니다. 언어와 문법의 적절한 활용은 독자의 이해를 돕고, 글의 전달력을 강화하는 핵심 요소입니다.

언어 선택의 중요성

• 적절한 어휘 사용

주제와 목적에 맞는 어휘를 선택하는 것이 중요합니다. 전문적인 주제에는 전문 용어를, 일반적인 글에는 누구나 이해할 수 있는 단어를 사용해야 합니다.

• 감정과 분위기 전달

언어의 선택은 글의 감정적 톤과 분위기를 설정하는 데 큰 영향을 미칩니다. 독자가 글의 감정을 공감하도록 하려면, 감정을 효과적으로 전달할 수 있는 단어와 문장 구조를 사용해야 합니다.

문법의 역할

• 명확한 의사소통

문법은 언어를 구조화하고, 명확한 의사소통을 가능하게 합니다. 올바른 문법 사용은 글의 이해도를 높이고, 의미의 전달을 명확하게 합니다.

• 글의 전문성 유지

문법 오류는 글의 신뢰성과 전문성을 저하시킬 수 있습니다. 따라서, 정확한 문법 사용은 글쓰기의 품질을 유지하는 데 필수적입니다.

언어와 문법의 창의적 활용

• 문체와 장르에 따른 변화

다양한 문체와 장르에 맞게 언어와 문법을 조정하여, 글의 목적과 독자에게 적합한 표현을 찾아야 합니다. 이는 글의 독창성과 매력을 높이는 데 기여합니다.

• 리듬과 소리의 미학

언어의 리듬과 소리를 의식적으로 활용하여, 글에 음악적인 요소를 추가할 수 있습니다. 이는 특히 시와 같은 문학적 작품에서 감정과 분위기를 전달하는 데 효과적입니다.

언어와 문법의 선택과 사용은 글쓰기의 근본적인 부분입니다. 작가는 언어의 미묘한 뉘앙스를 이해하고, 문법의 규칙을 적절히 활용함으로써, 의미 있는 메시지를 전달하고 독자와 깊은 연결을 형성할 수 있습니다. 따라서, 언어와 문법에 대한 지속적인 학습과 실험은 작가로서의 성장과 발전에 있어 중요합니다.

2. 문법과 구두점의 올바른 사용

문법과 구두점은 글쓰기에서 생각과 아이디어를 명확하고 효과적으로 전달하는 데 필수적인 요소입니다. 올바른 문법의 사용은 글의 전문성과 신뢰성을 높이는 반면, 적절한 구두점의 사용은 글의 흐름과 리듬을 조절하며 의미의 명확성을 보장합니다. 이러한 요소들은 글의 이해도를 증진시키고, 독자가 작가의 의도를 정확히 파악할 수 있도록 돕습니다.

문법의 올바른 사용

- 주어와 동사의 일치

문장 내의 주어와 동사는 수와 인칭에 있어 일치해야 합니다. 이 규칙은 문장의 명확성을 유지하는 데 중요합니다.

- 시제의 일관성

글쓰기에서 시제의 일관성을 유지하는 것은 중요합니다. 이야기나 설명이 같은 시간대에 속한다면, 시제를 일관되게 사용하여 독자의 혼란을 방지해야 합니다.

• 명확한 대명사 사용

대명사는 앞서 언급된 명사를 대체하여 사용됩니다. 대명사의 참조가 명확해야 문장의 의미가 분명해집니다.

구두점의 올바른 사용

• 쉼표(,)

쉼표는 문장 내에서 부가적인 정보를 제공하거나, 항목을 나열할 때 사용됩니다. 또한, 문장의 리듬을 조절하는 데에도 중요한 역할을 합니다.

• 마침표(.)

마침표는 문장이 끝났음을 나타냅니다. 간결하고 명확한 문장의 끝에 사용하여 글의 흐름을 구분합니다.

• 물음표(?), 느낌표(!)

질문이나 강한 감정, 강조를 표현할 때 사용됩니다. 이 구두점들은 글에 다양한 감정적 톤을 부여하는 데 기여합니다.

• 쌍따옴표(" "), 대시(-), 괄호(()

직접적인 인용, 추가적인 설명, 또는 부연 설명을 제공할 때 사용됩니다. 이들은 정보의 제시 방식을 다양화하고, 글의 구조를 향상시키는 데 도움을 줍니다.

문법과 구두점의 올바른 사용은 글쓰기의 기본이며, 작가가 자신의 메시지를 효과적으로 전달하는 데 있어 필수적입니다. 작가는 이러한 요소들을 정확하게 활용함으로써, 독자와의 의사소통을 강화하고, 글의 질을 향상시킬 수 있습니다. 따라서, 문법과 구두점에 대한 지속적인 학습과 실습은 글쓰기 능력을 개발하는 데 중요한 투자입니다.

3. 스타일과 목소리 개발하기

스타일과 목소리는 작가가 독자와 소통하는 독특한 방식을 형성합니다. 이들은 글에 개성을 부여하고, 작품을 다른 사람의 작품과 구별짓게 만듭니다. 스타일은 작가가 언어를 사용하는 방식을 말하며, 목소리는 글을 통해 전달되는 개성과 태도를 의미합니다. 스타일과 목소리를 개발하는 것은 작가로서의 정체성을 확립하고, 글쓰기에 깊이와 풍부함을 더하는 데 중요합니다.

스타일 개발하기

- 어휘 선택

사용하는 단어의 선택은 글의 스타일을 크게 좌우합니다. 전문적, 일상적, 고전적, 현대적 어휘의 사용은 글의 분위기와 독자에게 전달하고자 하는 느낌을 결정짓습니다.

- 문장 구조

짧고 간결한 문장은 긴장감과 속도감을, 긴 문장은 복잡성과 설명적인 느낌을 줄 수 있습니다. 다양한 문장 구조를 실험함으로써, 작가는 자신만의 스타일을 발전시킬 수 있습니다.

•적절한 톤과 분위기

글의 톤은 독자와의 감정적 연결을 형성하는 데 중요합니다. 유머러스한, 진지한, 비판적인 톤의 선택은 글의 전달하고자 하는 메시지와 감정을 강화합니다.

목소리 개발하기

• 개인적 경험과 관점

자신만의 독특한 경험과 관점을 글에 반영함으로써, 명확하고 독특한 목소리를 개발할 수 있습니다. 독자는 작가의 개인적인 시각과 태도를 통해 글에 더 깊이 몰입하게 됩니다.

• 일관성 유지

글쓰기에서 일관된 목소리를 유지하는 것은 독자와의 신뢰를 구축하는 데 중요합니다. 작가의 목소리는 작품 전반에 걸쳐 일관되게 유지되어야 합니다.

• 독창성과 진정성

자신만의 목소리를 찾기 위해서는 타인의 작품에 영향을 받되, 자신의 진정성을 잃지 않아야 합니다. 진정성 있는 글쓰기는 독자와 강력한 감정적 연결을 형성합니다.

스타일과 목소리의 개발은 시간과 연습을 통해 이루어집니다. 다양한 문체와 장르를 실험하고, 자신의 경험과 관점을 글에 반영하며, 지속적으로 작품을 수정하고 반성하는 과정을 통해, 작가는 자신만의 독특한 스타일과 목소리를 발전시킬 수 있습니다. 이 과정은 작가로서의 성장과 창작 활동의 깊이를 더하는 데 기여합니다.

제5장 창작 과정과 피드백

1. 글쓰기의 과정 이해하기

글쓰기 과정은 단순히 단어를 문서에 기록하는 것 이상의 의미를 가집니다. 이 과정은 아이디어의 발견에서부터 최종적인 작품의 완성에 이르기까지, 다양한 단계를 포함합니다. 각 단계는 글쓰기의 질을 향상시키고, 작가로 하여금 자신의 생각과 감정을 효과적으로 표현할 수 있도록 돕습니다. 글쓰기 과정을 이해하고 올바르게 활용하는 것은 작가가 창의력을 발휘하고, 목적에 부합하는 글을 작성하는 데 중요합니다.

글쓰기 과정의 주요 단계

• 계획(Pre-writing)

글쓰기 과정의 첫 단계로, 주제 선정, 아이디어 브레인스토밍, 연구 및 자료 수집이 포함됩니다. 이 단계에서는 글의 목적과 대상 독자를 명확히 하고, 글쓰기의 방향을 설정합니다.

- 초안 작성(Drafting)

수집된 아이디어와 정보를 바탕으로 글의 초안을 작성합니다. 이 단계에서는 완벽함보다는 아이디어를 자유롭게 표현하는 것에 중점을 둡니다. 구조와 명확성은 나중 단계에서 다듬어집니다.

- 수정(Revising)

작성된 초안에 대해 전체적인 내용과 구조를 검토하고 수정합니다. 이 단계에서는 아이디어의 전개, 논리의 일관성, 그리고 글의 흐름에 초점을 맞춥니다. 필요한 경우 내용을 추가하거나 재배열하여 글의 명확성과 설득력을 높입니다.

- 교정(Editing)

문법, 철자, 구두점 등 언어적인 측면을 점검하고 수정합니다. 이 단계는 글의 전문성과 정확성을 보장하기 위해 필수적입니다.

- 발행(Publishing)

최종적으로 수정된 글을 독자와 공유합니다. 이 단

계는 블로그 게시, 학술지 제출, 소셜 미디어 공유 등 다양한 형태를 취할 수 있습니다.

피드백의 중요성

글쓰기 과정에서 피드백은 작가가 자신의 작품을 객관적으로 평가하고 개선할 수 있는 기회를 제공합니다. 동료, 멘토, 혹은 대상 독자로부터의 피드백은 작품의 강점과 약점을 파악하고, 글쓰기 능력을 향상시키는 데 도움을 줍니다.

글쓰기 과정은 창의적인 탐색과 자기 표현의 여정입니다. 각 단계를 체계적으로 진행하고, 피드백을 적극적으로 활용함으로써, 작가는 자신의 글쓰기 스킬을 지속적으로 개발하고, 풍부하고 의미 있는 작품을 창조할 수 있습니다.

2. 효과적인 자가 편집 방법

자가 편집은 글쓰기 과정에서 매우 중요한 단계로, 작가가 자신의 작품을 검토하고 개선하기 위해 직접 실시하는 편집 과정입니다. 효과적인 자가 편집을 통해, 작가는 글의 명확성, 일관성, 그리고 전체적인 품질을 향상시킬 수 있습니다. 다음은 효과적인 자가 편집을 위한 몇 가지 방법입니다.

1) 거리 두기

초안을 완성한 직후 즉시 편집에 들어가기보다는, 일정 시간 글로부터 거리를 두세요. 시간이 지난 후 글을 다시 보면, 새로운 시각으로 문제점을 파악하고 개선할 수 있습니다.

2) 큰 그림에서 세부 사항까지

자가 편집을 시작할 때는 글의 전체 구조와 흐름부

터 검토하세요. 이후, 문단 구성, 문장, 그리고 마지막으로 단어 선택과 같은 세부 사항에 주목하세요.

3) 일관성 확인

글 전반에 걸쳐 일관된 톤, 문체, 시제를 유지하는지 확인하세요. 등장인물의 이름, 장소, 사건의 표기도 일관되어야 합니다.

4) 명확성과 간결성 추구

불필요한 단어나 문장을 제거하여 글을 간결하게 만드세요. 복잡하거나 애매한 표현 대신, 명확하고 직접적인 언어를 사용하세요.

5) 문법과 철자 오류 수정

문법 오류, 철자 오류, 구두점 사용은 글의 전문성에 큰 영향을 미칩니다. 철저히 검토하여 언어적 정확성을 확보하세요.

6) 독자의 관점에서 검토

자신이 독자라고 가정하고 글을 읽으며, 메시지가 명확하게 전달되는지, 흥미를 유발하는지 평가하세요.

7) 도구 활용

맞춤법 검사 도구, 문법 검사 도구를 활용하여 자가 편집 과정을 보조하세요. 하지만, 이러한 도구의 제안이 항상 정확한 것은 아니므로 주의 깊게 검토해야 합니다.

8) 여러 번 반복하기

효과적인 편집은 한 번으로 끝나지 않습니다. 여러 차례에 걸쳐 반복적으로 편집 과정을 수행하여, 글의 질을 지속적으로 개선하세요.

효과적인 자가 편집은 시간과 노력이 필요한 과정입니다. 이 과정을 통해 작가는 자신의 글쓰기 능력을 개선하고, 독자에게 보다 명확하고 흥미로운 메시지를 전달할 수 있는 작품을 완성할 수 있습니다.

3. 피드백 구하기와 수용하기

피드백은 글쓰기 과정에서 개선의 기회를 제공하며, 작가가 자신의 작품을 다양한 관점에서 바라볼 수 있도록 돕습니다. 타인의 의견을 구하고 그것을 수용하는 것은 작가로서 성장하는 데 있어 중요한 단계입니다. 효과적인 피드백 과정을 통해, 작가는 자신의 글을 더욱 정제하고 풍부하게 만들 수 있습니다.

피드백 구하기

- 다양한 소스에서 피드백 구하기

작가 동료, 멘토, 전문가, 또는 대상 독자군으로부터 피드백을 구하세요. 다양한 관점에서의 피드백은 글의 여러 측면을 개선하는 데 도움이 됩니다.

- 구체적인 질문하기

피드백을 요청할 때는 구체적인 질문을 함께 제시하는 것이 좋습니다. 이는 피드백 제공자가 좀 더 명확하고 유용한 의견을 제공하도록 돕습니다.

- 개방적인 태도 유지하기

피드백을 받을 준비가 되어 있어야 하며, 모든 의견을 개방적이고 수용적인 태도로 들을 준비가 되어 있어야 합니다.

피드백 수용하기

- 비판적으로 분석하기

받은 피드백을 비판적으로 분석하고, 자신의 작품에 어떻게 적용할 수 있을지 고민하세요. 모든 피드백이 반드시 수용될 필요는 없으나, 그 안에서 학습하고 성장할 기회를 찾아야 합니다.

- 구성적인 피드백 식별하기

모든 피드백 중에서 구성적이고, 작품을 개선할 수 있는 실질적인 조언을 식별하세요.

• 변경 사항 시도하기

피드백을 바탕으로 변경 사항을 시도해보고, 그 영향을 평가하세요. 때로는 작은 수정이 큰 차이를 만들 수 있습니다.

• 피드백에 감사하기

피드백을 제공한 사람에게 감사의 마음을 표현하세요. 피드백 과정은 상호 존중과 이해를 바탕으로 이루어져야 합니다.

피드백 구하기와 수용하는 과정은 때때로 도전적일 수 있으나, 작가로서의 성장과 작품의 질적 향상에 있어 필수적인 과정입니다. 피드백을 통해 얻은 인사이트를 작품에 반영함으로써, 작가는 보다 완성도 높고 흥미로운 글을 창조할 수 있습니다.

4. 작품의 수정과 재작성

작품의 수정과 재작성은 글쓰기 과정에서 작품의

품질을 향상시키기 위해 필수적인 단계입니다. 초안이 완성된 후에는 작품을 면밀히 검토하고, 필요한 부분을 수정하거나 다시 쓰는 과정을 거쳐야 합니다. 이 과정을 통해, 작가는 글의 구조, 내용, 그리고 표현을 개선하고, 최종적으로 독자에게 전달하고자 하는 메시지를 보다 명확하게 전달할 수 있습니다.

작품 수정의 중요성

• 수정 과정은 글쓰기의 초기 아이디어를 보다 정교하게 다듬고, 작품의 전체적인 품질을 높이는 데 중요합니다. 이는 글의 명확성, 일관성, 그리고 읽기 쉬움을 보장하는 과정입니다.

재작성의 필요성

• 일부 부분이나 전체적인 글의 흐름이 기대에 미치지 못하는 경우, 재작성은 필수적일 수 있습니다. 재작성은 글의 방향성을 바꾸거나, 새로운 관점을 추가하며, 보다 효과적인 메시지 전달을 가능하게 합니다.

수정과 재작성을 위한 단계

1) 자가 평가

글을 다시 읽으면서 자신의 작품을 객관적으로 평가하세요. 글의 주요 메시지가 명확하게 전달되는지, 독자의 관심을 유지할 수 있는지 자문해 보세요.

2) 피드백 수집

동료 작가, 멘토, 또는 목표 독자로부터 피드백을 요청하세요. 다양한 관점에서 받은 피드백은 글을 개선하는 데 유용한 인사이트를 제공합니다.

3) 구조와 내용 검토

글의 구조가 논리적이고, 모든 부분이 글의 목적과 일관되게 연결되는지 확인하세요. 내용이 충분하고, 필요한 정보가 모두 포함되어 있는지 검토합니다.

4) 문체와 언어 다듬기

문체가 글의 목적과 잘 맞는지, 언어 사용이 명확하고 효과적인지 점검하세요. 문법, 철자, 구두점 오류를 수정하고, 필요에 따라 문장을 다시 쓰거나 강조하고자 하는 부분을 강화하세요.

5) 반복적인 수정

한 번의 수정으로는 충분하지 않을 수 있습니다. 여러 차례에 걸쳐 작품을 검토하고 수정함으로써, 글의 질을 지속적으로 향상시키세요.

작품의 수정과 재작성 과정은 때때로 도전적일 수 있으나, 이는 글쓰기 능력을 개발하고, 작가로서 성장하는 데 필수적인 과정입니다. 자신의 작품에 대한 깊은 성찰과 지속적인 노력을 통해, 작가는 보다 완성도 높은 작품을 창조할 수 있습니다.

제6장 발표와 출판

1. 작품 공유의 중요성

작품을 공유하는 것은 글쓰기 과정의 마지막 단계로, 작가가 자신의 아이디어, 생각, 그리고 창작물을 세상과 나누는 행위입니다. 이 과정은 단순히 작품을 발표하는 것을 넘어서, 작가와 독자 간의 소통을 가능하게 하고, 작가의 성장과 발전에 중요한 역할을 합니다. 작품 공유의 중요성은 다음과 같은 여러 측면에서 고려될 수 있습니다.

독자와의 소통

작품을 공유함으로써 작가는 독자와 직접적으로 소통할 수 있습니다. 이를 통해 작가는 독자의 반응, 피드백, 그리고 감상을 직접 듣고, 이를 바탕으로 자신의 글쓰기 방향과 스타일을 개선할 수 있습니다.

작가로서의 인정

자신의 작품을 공개적으로 발표하는 것은 작가로서의 존재를 세상에 알리는 과정입니다. 이는 작가의 명성을 구축하고, 자신의 창작물을 널리 알릴 수 있는 기회를 제공합니다.

창작물에 대한 동기 부여

작품을 공유하는 과정은 작가에게 새로운 작품을 창조하고, 글쓰기를 계속하는 데 필요한 동기를 부여합니다. 독자로부터의 긍정적인 반응은 작가에게 큰 만족감과 성취감을 줄 수 있습니다.

문학 및 문화에 기여

작품을 공유함으로써 작가는 문학과 문화의 다양성에 기여할 수 있습니다. 각기 다른 배경과 경험을 가진 작가들이 자신의 목소리를 세상과 나눔으로써, 문화적 풍부함과 이해의 폭이 넓어집니다.

다양한 출판 플랫폼 활용

현대 기술의 발전으로 다양한 출판 플랫폼이 등장하였습니다. 전통적인 출판, 자가 출판, 온라인 플랫폼, 소셜 미디어 등을 통해 작가는 자신의 작품을 다양한 방식으로 독자에게 전달할 수 있습니다.

작품을 공유하는 것은 작가로서 완성된 작품을 세상에 내놓고, 그 의미와 가치를 인정받는 중요한 과정입니다. 이를 통해 작가는 자신의 창작 활동을 넘어 사회와 문화에 기여하고, 끊임없이 발전하는 창작 커뮤니티의 일원이 될 수 있습니다.

2. 디지털 시대의 글쓰기 및 출판

디지털 시대는 글쓰기와 출판에 혁명을 가져왔습니다. 인터넷과 디지털 기술의 발전은 작가들에게 전통적인 출판 방식을 넘어서는 새로운 기회와 도전을 제공했습니다. 이러한 변화는 작가가 자신의 작품을 더 넓은 독자층에게 손쉽게 도달시키고, 다양한 형태와

매체를 통해 창작물을 발표할 수 있게 만들었습니다.

디지털 플랫폼을 통한 자체 출판

개인 블로그, 웹사이트, 소셜 미디어 플랫폼을 통해 작가는 자신의 작품을 직접 출판하고, 전 세계 독자와 소통할 수 있습니다. 이는 출판의 문턱을 낮추고, 작가와 독자 간의 직접적인 연결을 가능하게 합니다.

전자책과 온라인 출판

전자책과 온라인 출판 플랫폼은 종이책 출판에 비해 비용이 적게 들고, 발행 속도가 빠릅니다. 아마존의 Kindle Direct Publishing(KDP), 구글 플레이 북스 등의 서비스를 통해 작가는 전 세계 독자에게 자신의 전자책을 쉽게 제공할 수 있습니다.

디지털 콘텐츠의 다양성

디지털 시대의 글쓰기는 텍스트 중심의 전통적인 형태를 넘어, 비디오, 오디오북, 인터랙티브 스토리텔링 등 다양한 형태의 콘텐츠 제작을 가능하게 합니다.

이는 작가가 자신의 창작물을 더욱 창의적으로 표현할 수 있게 하며, 독자의 참여와 경험을 극대화합니다.

온라인 커뮤니티와 네트워킹

온라인 작가 커뮤니티와 포럼은 작가들이 서로의 작품에 대해 피드백을 주고받고, 네트워킹을 하며, 창작에 대한 영감과 지원을 얻을 수 있는 공간을 제공합니다. 이는 작가로서의 성장과 발전에 큰 도움이 됩니다.

디지털 저작권 보호

디지털 콘텐츠의 증가와 함께, 작가의 저작권 보호는 더욱 중요해졌습니다. 디지털 저작권 관리(DRM)와 같은 기술을 통해 작가는 자신의 작품이 무단으로 복제되거나 배포되는 것을 방지할 수 있습니다.

디지털 시대의 글쓰기와 출판은 작가에게 무한한 가능성을 제공합니다. 다양한 디지털 플랫폼과 기술을 활용함으로써, 작가는 자신의 창작물을 더 넓은 독자층에게 효과적으로 전달하고, 글쓰기 및 출판의 새로운 지평을 개척할 수 있습니다.

3. 출판을 위한 준비 과정

작품을 출판하기 위한 준비 과정은 글쓰기 프로젝트의 성공적인 완성을 위해 필수적인 단계입니다. 이 과정은 작품의 마무리 단계에서부터 출판에 이르기까지, 작가가 고려해야 할 여러 요소를 포함합니다. 출판을 위한 체계적인 준비는 작품의 품질을 보장하고, 작품이 타겟 독자에게 효과적으로 도달할 수 있도록 합니다. 다음은 출판을 위한 주요 준비 과정입니다.

1) 최종 원고 검토 및 수정

작품의 내용과 구조, 문법, 철자 등을 최종적으로 검토하고 수정합니다. 필요한 경우, 전문가나 동료 작가의 도움을 받아 피드백을 수집하고, 작품의 질을 높일 수 있는 방안을 모색합니다.

2) 타겟 독자와 출판 시장 조사

작품이 어떤 독자층을 대상으로 하는지 명확히 합니다. 또한, 출판 시장의 현재 동향을 조사하여, 작품이 시장에 어떻게 포지셔닝될 수 있을지 평가합니다.

3) 출판 경로 결정

자체 출판을 할지, 전통적인 출판사를 통할지, 혹은 디지털 플랫폼을 이용할지 등 출판 경로를 결정합니다. 각 옵션의 장단점을 고려하여 작품의 성격과 작가의 목표에 가장 적합한 방법을 선택합니다.

4) 저작권 및 계약 이해

출판 과정에서 발생할 수 있는 저작권 문제와 출판 계약의 조건을 이해하고 준비합니다. 필요한 경우, 법적 조언을 구하여 작가의 권리를 보호합니다.

5) 마케팅 및 홍보 전략 수립

작품의 출판과 동시에 효과적인 마케팅 및 홍보 전략을 수립합니다. 소셜 미디어, 블로그, 언론 매체 활용 등 다양한 방법을 통해 작품의 가시성을 높이고 독자와의 소통을 강화합니다.

6) 출판 일정 및 배포 계획

출판 일정을 세우고, 작품이 출판된 후에는 어떻게 배포될 것인지 계획합니다. 디지털 출판의 경우, 다양한 온라인 플랫폼을 통한 배포 전략을 고려해야 합니다.

출판을 위한 준비 과정은 작품의 성공적인 출판과 독자에게의 효과적인 전달을 위한 기초를 마련합니다. 이 과정을 체계적으로 진행함으로써, 작가는 자신의 노력이 결실을 맺고, 작품이 널리 인정받을 수 있도록 할 수 있습니다.

4. 저작권과 작품 보호

저작권은 창작물의 창작자에게 해당 작품에 대한 독점적인 권리를 부여하는 법적인 개념입니다. 이는 작가가 자신의 창작물을 통제하고, 이로 인해 발생하는 이익을 보호하며, 무단 사용으로부터 작품을 보호할 수 있게 합니다. 작품의 저작권을 이해하고 적절히 관리하는 것은 글쓰기와 출판 과정에서 매우 중요합니다.

저작권의 기본 원칙

- 자동적 부여

대부분의 국가에서, 창작물이 창작되는 순간 자동적으로 저작권이 부여됩니다. 별도의 등록 절차 없이도, 작가는 자신의 작품에 대한 저작권을 갖게 됩니다.

• 법적 보호

저작권은 창작물을 무단 복제, 배포, 공연, 전시, 수정 등으로부터 보호합니다. 저작권 침해는 법적인 조치를 취할 수 있는 근거가 됩니다.

저작권 등록

• 보호 강화

일부 국가에서는 저작권 등록을 통해 법적 보호를 강화할 수 있습니다. 저작권 등록은 소송 시 증거로 사용될 수 있으며, 법적 권리 주장에 유리합니다.

• 등록 절차

저작권 등록 절차와 요구사항은 국가마다 다를 수 있습니다. 일반적으로, 창작물의 사본과 작가의 정보, 등록 수수료가 필요할 수 있습니다.

디지털 저작권 관리(DRM)

• 디지털 보호

디지털 저작권 관리는 전자책, 음악, 비디오 등 디

지털 콘텐츠의 무단 복제 및 배포를 방지하는 기술입니다. DRM은 작가가 자신의 디지털 작품을 보호하고, 저작권을 효과적으로 관리할 수 있도록 합니다.

공정 이용과 저작권 침해

- 공정 이용

교육, 뉴스 보도, 비평, 연구 등의 목적으로 제한적인 작품 사용은 공정 이용으로 간주될 수 있습니다. 공정 이용의 범위는 법적 해석에 따라 달라질 수 있습니다.

- 침해 대응

저작권 침해를 발견한 경우, 저작권자는 침해자에게 경고를 보내거나, 법적 조치를 취하여 자신의 권리를 보호할 수 있습니다.

저작권과 작품 보호에 대한 이해는 작가가 자신의 창작물을 보호하고, 창작 활동에서 발생할 수 있는 법적 문제를 방지하는 데 필수적입니다. 따라서, 작가는 저작권에 관한 법률과 자신의 권리를 숙지하고, 필요한 조치를 취하여 자신의 작품을 적극적으로 보호해야 합니다.

제7장 특별 주제

1. 디지털 스토리텔링

디지털 스토리텔링은 전통적인 서사 방식을 넘어서, 다양한 디지털 미디어와 기술을 활용하여 이야기를 전달하는 현대적인 스토리텔링 방식입니다. 이는 텍스트, 이미지, 오디오, 비디오 등 다양한 형태의 콘텐츠를 결합하여, 보다 다층적이고 상호작용적인 이야기 경험을 제공합니다. 디지털 스토리텔링은 교육, 마케팅, 엔터테인먼트 등 다양한 분야에서 활용되며, 창작자가 독자나 관객과 더 깊은 수준의 소통을 가능하게 합니다.

디지털 스토리텔링의 특징

- 다양한 미디어의 결합

디지털 스토리텔링은 텍스트뿐만 아니라 이미지, 오디오 클립, 비디오, 애니메이션 등 다양한 미디어 요소를 결합하여 풍부한 스토리 경험을 제공합니다.

• 상호작용성

일부 디지털 스토리텔링 작품은 사용자의 선택이나 행동에 따라 이야기의 전개가 달라지는 상호작용적 요소를 포함합니다. 이는 관객이 이야기에 더 몰입하게 하며, 개별적인 경험을 제공합니다.

• 접근성과 전달력

인터넷과 모바일 기기의 보편화로 디지털 스토리텔링은 언제 어디서나 접근할 수 있으며, 소셜 미디어를 통한 공유가 용이합니다. 이는 이야기의 빠른 전파와 넓은 도달 범위를 가능하게 합니다.

• 창의적 표현의 확장

디지털 기술의 발달은 창작자에게 새로운 형태의 표현 방법을 제공합니다. 가상현실(VR), 증강현실(AR), 인터랙티브 웹사이트 등을 통해 창의적인 스토리텔링이 가능해졌습니다.

디지털 스토리텔링의 활용

• 교육 분야

디지털 스토리텔링은 학습자의 참여를 증진시키고, 복잡한 개념을 쉽게 설명하기 위해 교육 분야에서 널리 활용됩니다. 이야기를 통해 정보를 전달함으로써 학습 효과를 높일 수 있습니다.

• 마케팅과 브랜딩

기업과 브랜드는 디지털 스토리텔링을 활용하여 자신들의 가치와 제품의 특징을 소비자에게 전달합니다. 이야기를 통해 고객과의 감정적 연결을 구축하고, 브랜드 충성도를 높일 수 있습니다.

• 개인적인 이야기 공유

개인은 자신의 경험, 생각, 감정을 디지털 스토리텔링을 통해 공유할 수 있습니다. 이는 개인적인 경험을 널리 전파하고, 공감과 이해를 구하는 수단이 됩니다.

디지털 스토리텔링은 기술과 창의성이 결합된 현대적인 커뮤니케이션 수단입니다. 이를 통해 창작자는 전통적인 스토리텔링의 경계를 넘어서, 관객과 더욱 효과적으로 소통하고, 다양한 경험을 제공할 수 있습니다.

2. 시니어를 위한 글쓰기 지도

시니어를 위한 글쓰기 지도는 나이가 들어서도 지속적인 학습과 창의적 표현의 중요성을 강조합니다. 글쓰기는 기억력 유지, 정서적 표현, 지적 활동의 유지에 이르기까지 다양한 이점을 제공합니다. 시니어 대상의 글쓰기 지도는 이들이 자신의 경험, 지혜, 그리고 창의력을 효과적으로 표현할 수 있도록 지원합니다.

글쓰기의 이점

- 기억력 향상

글쓰기는 기억력과 인지 기능을 향상시키는 데 도

움을 줍니다. 개인의 경험과 이야기를 문서화하는 과정은 기억을 되새기고, 정리하는 효과적인 방법입니다.

• 정서적 웰빙 증진

글쓰기는 자신의 감정과 생각을 표현하는 수단으로, 스트레스 해소와 정서적 안정에 기여합니다.

• 사회적 연결감 강화

글쓰기는 다른 사람들과의 소통과 연결을 촉진합니다. 개인적인 이야기나 생각을 공유함으로써, 공감대를 형성하고 관계를 강화할 수 있습니다.

시니어를 위한 글쓰기 지도 방법

• 접근성 있는 주제 선정

시니어의 경험, 관심사, 그리고 취향을 반영하는 주제를 선택합니다. 이는 글쓰기 과정에 자신감을 갖고 참여하도록 독려합니다.

• 단계별 지도

글쓰기 기술의 기초부터 시작하여, 차근차근 진행합니다. 초안 작성, 수정, 피드백의 과정을 통해, 점진적으로 글쓰기 능력을 개선할 수 있습니다.

- 디지털 도구의 활용

컴퓨터와 인터넷의 기본 사용 방법을 가르치고, 디지털 글쓰기 도구를 소개합니다. 이는 시니어가 현대적인 글쓰기 환경에 적응하도록 돕습니다.

- 집단 활동과 워크숍

글쓰기 그룹이나 워크숍을 통해 시니어가 서로의 작품을 공유하고, 피드백을 주고받을 수 있는 기회를 제공합니다. 이는 사회적 상호작용을 증진하고, 창작 활동에 대한 동기를 부여합니다.

개인의 이야기와 생각 강조: 시니어가 자신의 인생 경험, 지혜, 그리고 가치를 글로 표현하도록 격려합니다. 이는 글쓰기를 통해 개인적인 유산을 남기는 것에 대한 가치를 인식하게 합니다.

시니어를 위한 글쓰기 지도는 이들이 삶의 다양한 단계에서도 계속해서 배우고, 창조하며, 소통할 수 있도록 격려합니다. 글쓰기는 시니어에게 정서적, 인지적, 사회적 이점을 제공하며, 그들의 삶에 풍부함과 의미를 더합니다.

3. 아동과 청소년을 위한 글쓰기 교육

아동과 청소년을 대상으로 한 글쓰기 교육은 그들의 창의력을 발달시키고, 자기 표현 능력을 강화하는 중요한 교육적 접근 방식입니다. 이 시기에 글쓰기 능력을 개발하는 것은 학습자의 언어 이해력, 비판적 사고력, 그리고 의사소통 능력에 긍정적인 영향을 미칩니다. 글쓰기 교육은 아동과 청소년이 자신의 생각과 감정을 효과적으로 표현하고, 평생 동안 사용할 중요한 기술을 습득하도록 돕습니다.

글쓰기 교육의 기본 원칙

- 창의적 표현 장려

아동과 청소년에게 자유로운 글쓰기 활동을 제공하여, 자신의 상상력과 창의력을 마음껏 표현할 수 있는 기회를 제공합니다. 이야기 만들기, 일기 쓰기, 시 쓰기 등 다양한 형태의 글쓰기를 통해 표현의 다양성을 경험하게 합니다.

- 의사소통 기술 강조

글쓰기를 통한 효과적인 의사소통 방법을 가르칩니다. 이는 글의 구조, 어휘 선택, 문장 구성 등 글쓰기의 기초적인 요소뿐만 아니라, 메시지를 명확하고 간결하게 전달하는 방법을 포함합니다.

- 비판적 사고 및 분석 능력 개발

글쓰기 과제를 통해 학생들이 주어진 주제에 대해 깊이 생각하고, 자신의 견해를 논리적으로 전개할 수 있도록 합니다. 이 과정에서 아동과 청소년은 자신의 생각을 비판적으로 분석하고, 근거를 기반으로 주장을 펼치는 방법을 배웁니다.

- 피드백과 수정 과정 강조

글쓰기는 반복적인 과정이며, 초안 작성 후 피드백을 받고 수정하는 과정을 통해 글의 질을 향상시킬 수 있음을 강조합니다. 동료 평가나 교사의 지도를 통해 구체적이고 건설적인 피드백을 제공하고, 이를 바탕으로 자신의 작품을 개선하는 방법을 배웁니다.

- 독서와 글쓰기의 연계

다양한 장르와 스타일의 문학 작품을 읽고 분석함으로써, 아동과 청소년은 글쓰기에 대한 영감을 얻고, 다른 작가들의 글쓰기 기술을 배울 수 있습니다. 독서 활동을 통해 얻은 지식과 아이디어는 글쓰기의 소재로 활용될 수 있습니다.

아동과 청소년을 위한 글쓰기 교육은 그들이 자신의 목소리를 찾고, 세상과 소통하는 방법을 배우는 데 중요합니다. 이러한 교육은 학습자가 비판적으로 생각하고, 창의적으로 표현하며, 평생 학습하는 능력을 기르는 데 기여합니다.

글쓰기 여정의 지속적인 발전

글쓰기는 단순히 단어를 종이에 옮기는 행위를 넘어서는, 깊이 있는 창조적 과정입니다. 개인의 생각, 감정, 지식을 외부 세계와 공유하는 매개체로서, 글쓰기는 인간 경험의 본질적인 부분을 형성합니다. 글쓰기 여정은 단기간에 완성되는 것이 아니라, 개인의 지속적인 학습, 실험, 그리고 개선을 통해 발전합니다. 이 여정은 개인적 성찰로부터 시작하여, 창의력의 발휘, 지식의 확장, 그리고 타인과의 교류에 이르기까지 다양한 형태로 진행됩니다.

글쓰기의 지속적인 발전을 위한 핵심 요소

- 평생 학습의 자세

글쓰기는 끊임없는 학습 과정입니다. 새로운 문체,

장르, 주제에 대한 탐색과 실험을 통해, 작가는 자신의 글쓰기 스킬을 지속적으로 발전시킬 수 있습니다.

• 개방적인 마음가짐

다양한 관점과 아이디어에 개방적인 태도를 유지하는 것이 중요합니다. 피드백과 비판을 수용하는 자세는 글쓰기 능력을 개선하는 데 도움이 됩니다.

• 규칙적인 실천

글쓰기는 규칙적인 실천을 통해 개선됩니다. 정기적으로 글을 쓰고, 수정하며, 다시 쓰는 과정은 글쓰기 기술의 향상에 필수적입니다.

• 소통과 공유

글쓰기는 개인적인 활동일 수 있지만, 타인과의 소통과 공유를 통해 더 큰 가치를 발휘합니다. 독자와의 상호작용은 작가에게 새로운 영감을 제공하고, 글쓰기에 대한 다양한 통찰을 얻을 수 있게 합니다.

• 지속적인 피드백과 자기 반성

자신의 작품을 주기적으로 검토하고, 타인의 피드백을 적극적으로 받아들임으로써, 작가는 자신의 글쓰기를 객관적으로 평가하고 개선할 수 있습니다.

글쓰기 여정은 개인의 성장과 발전을 위한 끊임없는 여정입니다. 이 과정을 통해, 작가는 자신만의 독특한 목소리를 발견하고, 타인과 깊이 있는 방식으로 소통할 수 있게 됩니다. 글쓰기의 지속적인 발전은 노력과 헌신을 요구하지만, 이로 인해 얻어지는 개인적, 지적 만족은 이를 훨씬 뛰어넘는 가치를 지닙니다. 글쓰기 여정은 무한한 가능성을 탐색하는 과정으로, 개인이 자신의 내면을 탐구하고, 세상과의 연결을 강화하는 데 중요한 역할을 합니다.

에필로그

이 책을 마무리하며 여러분이 글쓰기의 여정을 통해 자신만의 목소리를 찾고, 창의력의 무한한 가능성을 탐험하는 데 한 걸음 더 나아갔기를 바랍니다. 글쓰기는 단순한 기술이 아니라, 우리의 생각과 감정, 경험을 세상과 공유하는 강력한 수단입니다. 이 책을 통해 제시된 조언과 가이드, 리소스가 여러분의 글쓰기 여정에 도움이 되었기를 희망합니다.

글쓰기는 때로는 외롭고 힘든 여정일 수 있습니다. 하지만, 동시에 그것은 자기 발견의 여정이기도 하며, 우리 내면의 깊은 곳에 숨겨진 이야기와 지혜를 발굴하는 과정입니다. 여러분 각자의 이야기는 독특하고 소중하며, 세상이 듣기를 기다리고 있습니다.

이 책의 페이지를 넘기며, 여러분이 글쓰기의 다양한 단계에서 마주칠 수 있는 도전과 기회를 탐험했기를 바랍니다. 계획에서 초안 작성, 수정과 피드백에 이르기까지, 각 단계는 여러분이 보다 성숙한 작가로 성장하는 데 필수적인 부분입니다. 또한, 디지털 시대의 글쓰기와 출판의 변화하는 풍경 속에서 여러분이 자신의 위치를 찾고, 새로운 기회를 포용할 수 있기를 바랍니다.

여러분의 글쓰기 여정이 어떠하든, 중요한 것은 꾸준히 글을 쓰고, 실험하며, 자신을 표현하는 데 주저하지 않는 것입니다. 글쓰기는 발전하는 과정이며, 각자의 속도와 경로가 있습니다. 이 책이 여러분의 여정에 소중한 동반자가 되었기를 바라며, 여러분이 글쓰기를 통해 자신의 목소리를 세상에 용감히 내보일 수 있기를 진심으로 응원합니다.

마지막으로, 글쓰기는 세상을 이해하고, 세상과 소통하는 방법입니다. 여러분의 이야기와 지혜가 세상에 긍정적인 변화를 가져오기를 바랍니다. 글쓰기 여정에서 얻은 통찰과 영감이 여러분의 삶과 타인의 삶을 풍요롭게 할 것입니다. 지금까지 여러분과 함께할 수 있어 영광이었습니다. 계속해서 글을 써나가세요, 왜냐하면 여러분의 이야기는 반드시 들려줄 가치가 있기 때문입니다.

창의적 글쓰기 기초

글쓰기 지도서

발행일 | 2024년 03월 16일

발행처 | 그린놀크 발행인 | 정영주

출판등록 | 2021.7.6.(제2021-000097호)

주소 | 경기도 파주시 가온로 67

이메일 | greenplay88@naver.com

도서문의 | 070-8615-5873

ISBN | 979-11-93916-29-2